ねずみのパンや

おいしいはなしにご用心《ようじん》

上野与志　作
藤嶋えみこ　絵

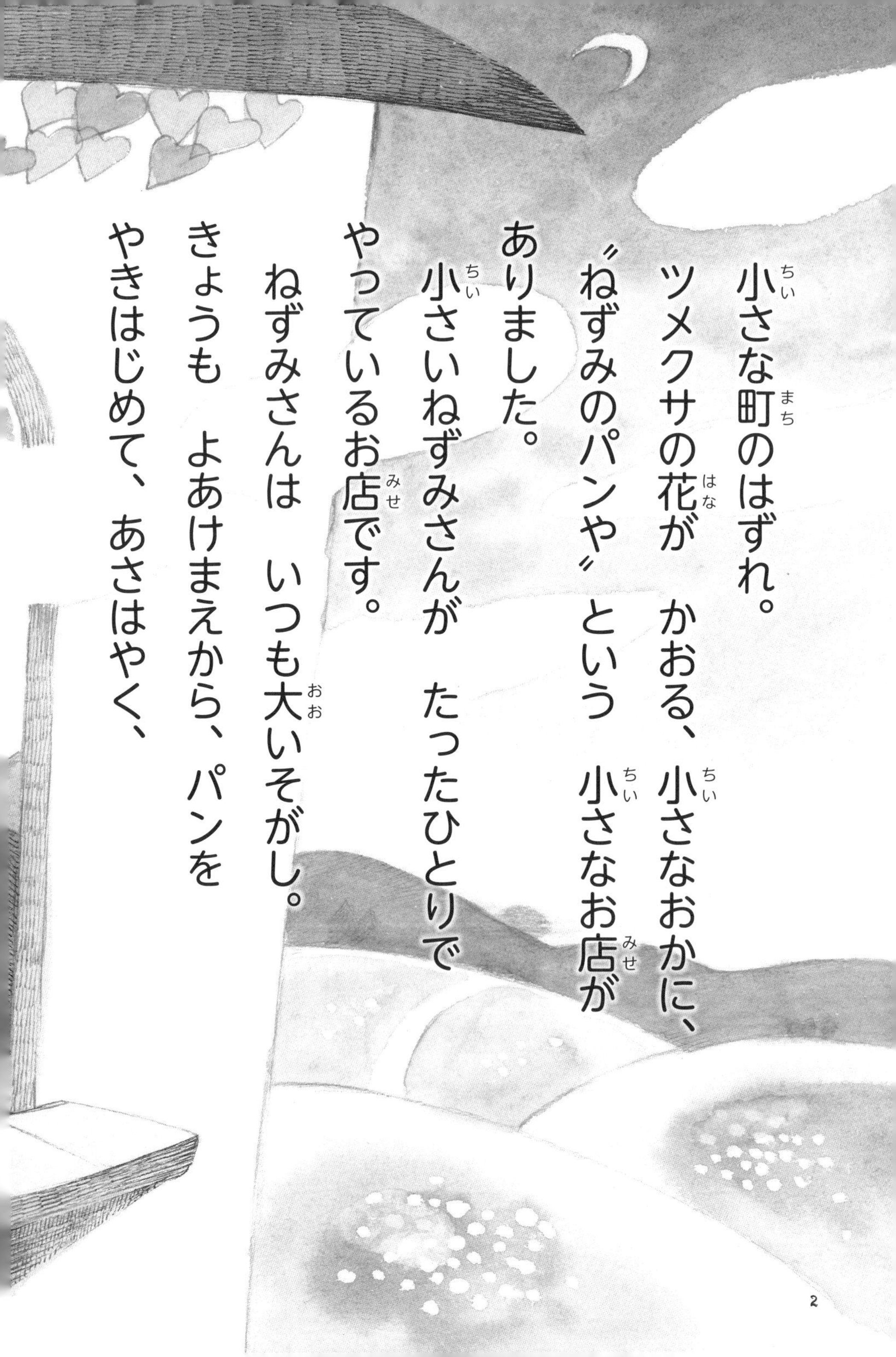

小《ちい》さな町《まち》のはずれ。
ツメクサの花《はな》が　かおる、小《ちい》さなおかに、
〝ねずみのパンや〟という　小《ちい》さなお店《みせ》が
ありました。
小《ちい》さいねずみさんが　たったひとりで
やっているお店《みせ》です。
ねずみさんは　いつも大《おお》いそがし。
きょうも　よあけまえから、パンを
やきはじめて、あさはやく、

やきあがったのは、
ほうら、こんなパン！

ぷ〜んと、やきたての
パンの　いいかおりが
ただよっていくと、つぎつぎに　おきゃくが
やってきます。
そう、ねずみのパンやは、ぎょうれつの
できる　お店《みせ》なのです。

open

ねずみさんは、パンやから　すこしはなれた
小《ちい》さいおうちに　ひとりぐらし。
でも、さびしくなんてありません。
となりの　大《おお》きいおうちに　大《おお》きいくまさんが
いるからです。
くまさんと、となりどうしに　なったのは、
なん年《ねん》もまえの　あらしの日《ひ》のこと。川《かわ》べりに
あった　小《ちい》さい　おうちは　はげしいながれに
のまれそうになりました。

「これっきゃない！　エイ！」
力《ちから》もちの　くまさんは、ねずみさんごと
小《ちい》さいおうちを　ここまで　はこんできたのです。

それからというもの、毎日《まいにち》、ねずみさんは、しごとから　もどると、くまさんの　おうちの大《おお》きなテーブルで、その日《ひ》の　できごとを、おはなしします。

ねずみさんのやいた　パンをたべ、くまさんがいれた、あたたかい　お茶《ちゃ》を　のみながら……。

「くまさんは、あたしの　なくてはならない友《とも》だち……」

小《ちい》さな町《まち》の　えきちかくに、〝ブタおじさんのパンや〟という古《ふる》い、大《おお》きなお店《みせ》が　ありました。

そこには、パンが　たくさんならんでいましたが、やきたてのいいかおりは　してきませんでした。

ガランとしたそのお店《みせ》に、年《とし》よりのおおかみとわかいきつねの、ふたり組《ぐみ》が　やってきました。

ふたりとも、シャレた　ふくをきて、ぼうしをななめに　かぶっています。

ブタおじさん
の
パンや
open

おおかみは、店《みせ》の主人《しゅじん》の　ブタおじさんに
たずねました。
「しごとが　あると、きいて　きたんだがね」
「ようこそ、おふたりさん、まずは、パンでも
たべながら、ゆっくり　はなそうじゃないか」
「わしは、パンが　きらいなもんでね、すぐに、
しごとのはなしを　したい」

ハンジョウ
ブタハナ
パン

おおかみが　そっけなく　ことわると、
「ブヒヒ、そりゃ　たすかるよ。
なあに、あんたらを　よんだのは
ほかでもない。
町《まち》はずれの〝ねずみのパンや〟を
おいだしてほしいのだよ。
あの店《みせ》のパンが、売《う》れれば、売《う》れるほど、
ぎょうれつが　できれば、できるほど、
うちのパンが　売《う》れなくなるのでね」

「ボウリョクは　ゴメンですぜ」
きつねが　口《くち》をとんがらして　いうと、
おおかみが、
「そのとおり。わしらは、口《くち》だけしか
つかわんが、
それで　いいかな？」
「どんなやりかたでも、かまわんよ。あの店《みせ》を
おいだしてくれたら、なんと、きんか五まい
はらうよ」

「しょうちした！」

おおかみときつねは、町《まち》はずれまで
やってきました。
「ボス、ブタのおっさん、けっこうワルっスね」
「フフフ、きつねくん、こっちはそのワルから、
きんかを　いただく。こっちも　かなりの
ワルだぜ。それより、ねずみの
パンやは　どこかな？」
「クン、クン、あっちから、パンのいいかおりが
してきますぜ」

きつねが　ゆびさしたところに、
小《ちい》さなお店《みせ》が　ありました。

それにむかって、 ながい ぎょうれつが
できています。
「ふむ、 あれに まちがいないな。 では、
しごとに かかろうか」
ふたりは ぎょうれつの うしろに、
ぎょうぎよく ならびました。

open

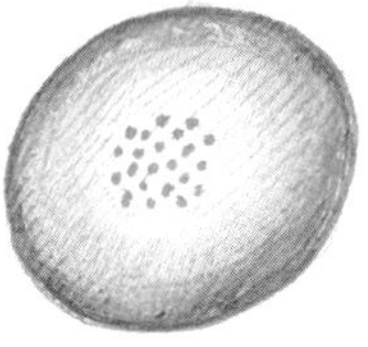

ふたりのじゅんばんが　きました。
「いらっしゃいませ。　どれに
いたしましょう？」
ねずみさんが、やさしくたずねます。
おおかみは、小《ちい》さなライむぎパンを
ひとつだけ　ゆびさして、
「わたしは、これで　けっこう」
きつねは　うれしそうに、いろいろ　五《いつ》つも
ちゅうもんしました。

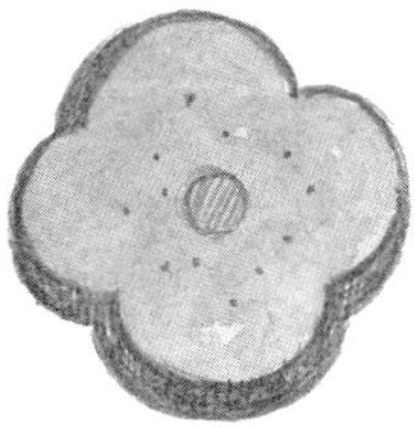

ふたりは、しはらいをすませて、外《そと》のベンチに
こしかけました。

きつねは　あっというまに、
ぜんぶ　たいらげると、
「うまい！　おいら、こんなおいしいパン、
たべたの　はじめてですぜ。おや？　ボスは
たべねえんスか？　そんじゃ、おいらが……」
きつねが　手《て》を　のばすより　はやく、
おおかみは、パンを　パクリ。
「ムググ……きらいでも、あじみだけは
しないとな。それが　プロと　いうもんだ。

おや？　これはなんだ？　パンとは　こういう
ものだったのか！　うまいじゃないか！

はじめてなのに、なつかしいあじだ……

そうか、おもいだしたぞ！　とおいむかしに、
ママンが　やいてくれた　パンケーキだ！

ああ、やさしかったママン……」

「ボス、パンがのどに　つかえたんスか？」

「そのとおりだ」

おおかみは、なみだを　ぬぐいました。

nezu

ふたり組《ぐみ》はそろって、 ねずみのパンやへ
はいっていきました。
おおかみは、 たちまち えがおになると、
「わしは、カンドウした！ キミのやくパンは
すばらしい！」
きつねが 口《くち》を はさみました。
「世界《せかい》レベルですよ！」
「そのとおり！ だから、こんな いなか町《まち》には
もったいない。

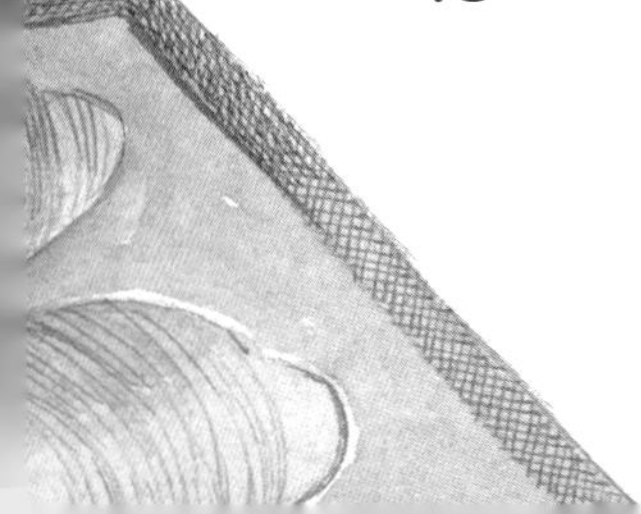

くまパン

どうだね？　メガシティ・五ばんがいで、
パンやを　やってみないかね？」
「五ばんがいは、世界中《せかいじゅう》の
オシャレなお店《みせ》が
あつまるところですよ」
「ウワサだけは　きいています。
でも……おきゃくさんたち、
いったい
なにものですか？」

mega
city
5th
avenue
cafe

するとˬ、きつねが、
「じつは、こちら、五ばんがいで、
知《し》らぬものがない、パンや、
〝ワールド・ウルフ・ベーカリー〟の
あるじ、おおかみさまです。ぼくは、
助手《じょしゅ》のきつねです」
「これは、これは、しつれいした。
キミのやくパンが、あんまり　おいしいので、
ついコーフンして……。わしは、ごらんのように、

年《とし》をとってしまったのでな、つねづね、いなかで
のんびり、パンやをやりたいと、おもっておった。

だが、わしが五ばんがいの　店《みせ》をやめたら、
世界中《せかいじゅう》からやってくる　おきゃくさまたちに
しかられてしまう。
そこで、わしは　いいことを　おもいついた。
いなかのパンやで、わしより　うでのいい、
パンしょくにんが　いたら、わしの店《みせ》を
まかせる。そして、わしは、
そのいなかの店《みせ》で、
パンをやく、とね」

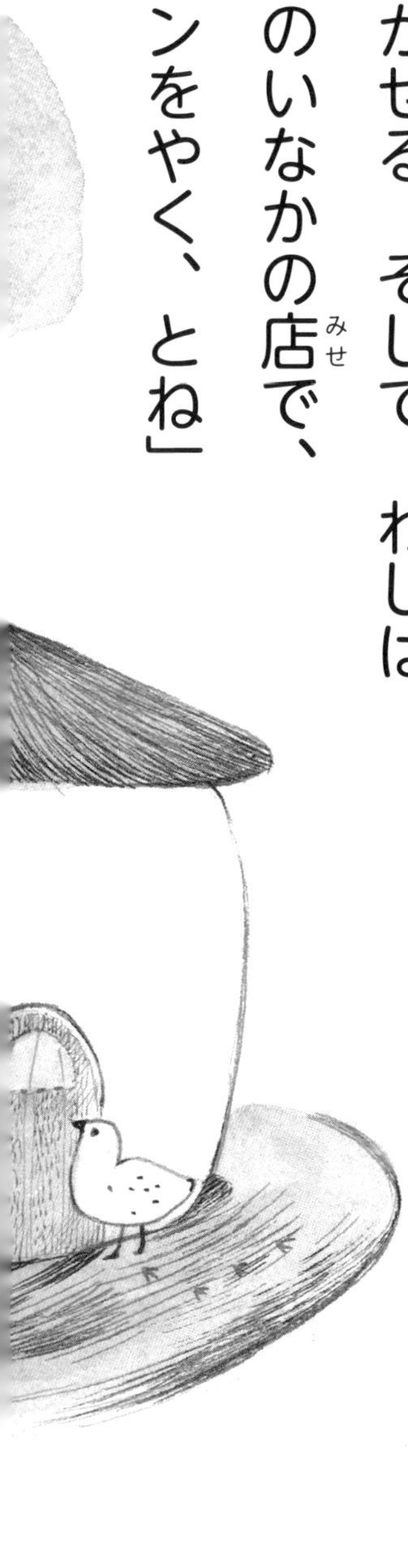

きつねが　口《くち》を　はさみました。
「つまり、お店《みせ》を　こうかんしたい、
ということです」
「そのとおり。そのすばらしい
パンしょくにんを　きょう、とうとう
みつけた！　それが、キミなのだよ！」
「なんだか、ゆめみたいな　おはなしね」

きつねが　こたえました。
「ははは、ゆめなんかじゃ　ありません。
でも、お年《とし》よりは　きが　みじかくて……」

「そうなのだ。キミには、いまから五日《いつか》のうちに、メガシティ・五ばんがいへ行《い》ってもらいたいのだが……」

「ええっ？　まってくださいよ。ずいぶんきゅうな　おはなしですね。

それに、メガシティって、ずいぶんとおいし……」

でも、こんなチャンス、めったにない……

どうしよう？

「……あたしに　すこしだけ　時間《じかん》をください。
こんなちっぽけな　パンやでも、
あたしにとっては　たいせつな
お店《みせ》ですから……」
「わかりますとも。それでは、わしらは
夕方《ゆうがた》まで、ブラブラしてまいろう」
そういうと、おおかみは、おおかみの
かおが　きざまれた　きんのメダルを
さしだしました。

「これは、われら〝おおかみ一ぞく〟につたわるメダルなのです。これを、店《みせ》のものにみせれば、キミを　あるじとして、よろこんでむかえてくれます。では、のちほど……」

ねずみのパンやから　はなれると、きつねがたずねました。

「ねえ、ボス、ねずみさんが　五ばんがいに行《い》ったら、そんな店《みせ》なんて　ないことがバレちまいますぜ。そしたら、すぐにもどってくるんじゃねえスか?」

「フフフ、それで　いいのだ。五ばんがいなら、
おうふくで、五日《いつか》は　かかる。そのあいだに、
わしらは　ブタさんから　きんかを
ちょうだいして、おサラバだ」
「へへへ、ソンするのは、
ブタのおっさんだけってわけか。
さすが、ほんもののワルっすね！」

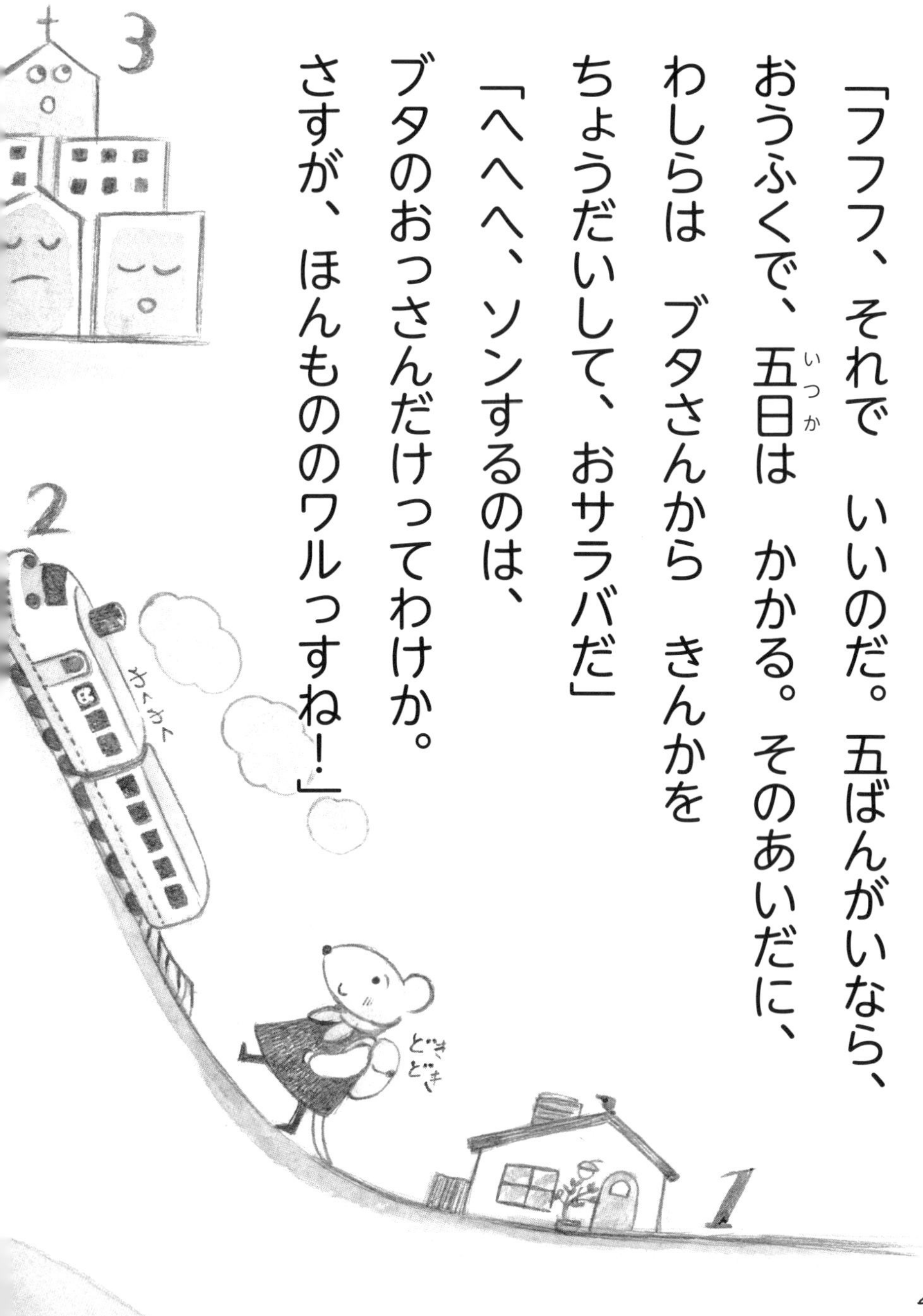

5
もどって
きたよー
4
たいへん
なに!?
え?
わーい
わーい
よくやった!

さて、ひとりきりになった　ねずみさんは、
じぶんがやいた　クロワッサンを　かじりながら、
かんがえつづけました。
くうそうは、どんどん　ふくらんでいって……。
五ばんがいは、オシャレなお店《みせ》が
いっぱいなのね。たくさんの　お店《みせ》のなかに
たった一けんだけ、パンやさんが　あるの。
それが　あたしのお店《みせ》、『ねずみのパンや』
ほうら、こんなに　すてきなお店《みせ》よ！

World NEZUMI Bakery

さあ、お店《みせ》に入《はい》ってみましょう。
なかには、パンがいっぱい！
みんな　あたしが　やいたパンなのよ。
パンたちは　あたしに　あいさつするわ。
わたしたちを　作《つく》ってくれて　ありがとう！
どういたしまして、みんな
おいしくなってくれて、うれしいわ！って、
あたしがこたえると、パンたちは
大《おお》よろこび。

そこへ、おきゃくさんが
つぎつぎに
やってくる。
「いい　かおり！」
「すてき！」
「わあ、おいしい！」
「ファンタスティック！」
ほめことばに
つつまれて　あたしは、

こういうの。
「まだまだですわ。
もっと　もっと、おいしい
パンを作《つく》ります！」
………………

ゆめが　どんどん　ふくらんでいくうちに、
いつのまにか、もう夕方《ゆうがた》。

ふたり組《ぐみ》が　もどってきました。

「ねずみさん、かんがえは
きまりましたかな？」

「はい、あたし…」

と、そのとき、

「お～い、ねずみさ～ん！」

のんびりした　声《こえ》とともに、
大《おお》きいくまさんが　お店《みせ》に　やってきました。

「ぼくは　あした、山《やま》で
木《き》をうえる　しごとを
するからね。
　フランスパンを
五本《ほん》ばかり、
かいに　きたんだよ。
ねずみさんの　パンが
なきゃ、山《やま》しごとは
できないからね。

おや？
おきゃくさんかい？」
「まあ、そうとも
いえますな」
おおかみが
こたえると、
くまさんは、
うれしそうに
しゃべりだしました。

「やあ、やあ、はじめての　おきゃくさんだね。
よく　いらっしゃいました！　ぼくは、山《やま》で
木《き》をうえる　しごとをしている、くまです。
まあ、このパンを　たべてみてよ。
さいこうの　かおりと　あじだよ。
このパンはね、ぼくの　たったひとりの
友《とも》だちの　ねずみさんが、心《こころ》をこめて
やいているんだよ。だから、この店《みせ》は、
この町《まち》に、なくてはならない　パンやなんだ！

もちろん、ぼくにとっても
なくてはならない友《とも》……」

「くまさん、おふたりには、さっき　あたしの
パンを　たべていただいたのよ……」
「あっ、そうだったの、エヘヘ」
「でも、くまさん、ありがとう！　おかげで、
あたし、ゆめから　さめたわ！」
　そして、ふたり組《ぐみ》のほうに　きちんと
むきなおると、
「あたし、やっぱり、おことわりします！
りゆうは……くまさんが　いっちゃいましたね」

すると、おおかみは、

「ハッハッハッハ……、あっぱれだ！　わしは、まけた！　キミのパンにも、キミの　大《おお》きな友《とも》だちにもな。キミは、五ばんがいに行《い》ってはならん！　ここで、いつまでも、パンをやくがいい！　それと……キミのやくパンは、なつかしい　あじがする。わしは　おもわず、やさしかったママンをおもいだしてしまったよ……。

ありがとう！」

「どういたしまして！」
ねずみさんが　目《め》をうるませて、こたえました。
「ちぇっ、なかせるじゃんか！　でも、
これじゃあ　きんかは　もらえませんぜ？」
「これでいいのだ！　では、わしらは
いそぐので、これにて、ごめん！」

ふたり組《ぐみ》は、かぜのように
たちさりました。

しばらくして、お店《みせ》に、けいさつかんが
いきを　きらせて　やってきました。
「おい、こむすめ、ここへ　『サギし』の
ふたり組《ぐみ》がきただろ？　おれさまが　なが年《ねん》、
おいかけているやつらだ！」
「ええっ、サギし？
いいえ！　きませんでした！」
（あのふたり、サギしなんかじゃないわ！
すてきなゆめを　みせてくれただけ……）

みかん
くり

だが、めざとい　けいさつかんは、つくえに
おきわすれた　きんのメダルに　目《め》をとめて、
「かばうと　ためにならんぞ！　じゃあ、
おおかみが　きざまれた、このきんのメダルは
なんだ？」
　すると、くまさんが、
きんのメダルを　手《て》にとって、
「ハッハッハ、けいさつかんさん、
これは、どうぶつえんで、かってきた

メダルチョコだよ」

きんがみを　やぶると、なかみは　ほんものの
チョコ。
「ほらね、うん、あまい！」
「ほんとね！」
「ブルル……もし、サギしがきたら、かならず
しらせるんだぞ！」

そのころ、ふたり組《ぐみ》は、
〝ブタおじさんのパンや〟に
きていました。
　ブタおじさんが
たずねました。
「ブヒヒ、ねずみのパンやは
どうなったかね？」
「すこしも　かわらんよ」
「ブヒッ？　なぜだ？」

「あの店《みせ》は、この町《まち》に、
なくてはならない
店《みせ》だからね」
「ブー！　おまえたちは
クビだ！
もっとワルを　やとって、
おいだしてくれる！」
「そいつは　ダメだ」
「なぜだ？」

「わしが『ダメ』と　きめたからだ」
「ふん、じじいが　なにをぬかす！」
すると、おおかみは
ニヤリとわらって、
「わしに、さからったら、どうなるか、
わかるかな？」

「やれやれ……ボスは、これまでに、
ブタをなんびき、くったことやら……」
「わっ、わかりました。たべるのだけは、
ごかんべんを。ねずみのパンやを
おいだしたりは　しませんので……」
「それでよいのだ。じゃあ、あばよ！」

ブタおじさんの店《みせ》を　でると、
おおかみが　いきなり　いいました。
「きつねくん、きみは　まだわかいから、
やりなおせる。もうサギしなんか　やめて、
マットウな　しごとを　やりたまえ。
では、元気《げんき》でな。さらばだ！」
おおかみは　かけだしました。
「ええっ？　そ、そんな？
ま、まっておくんなさいよ～！」

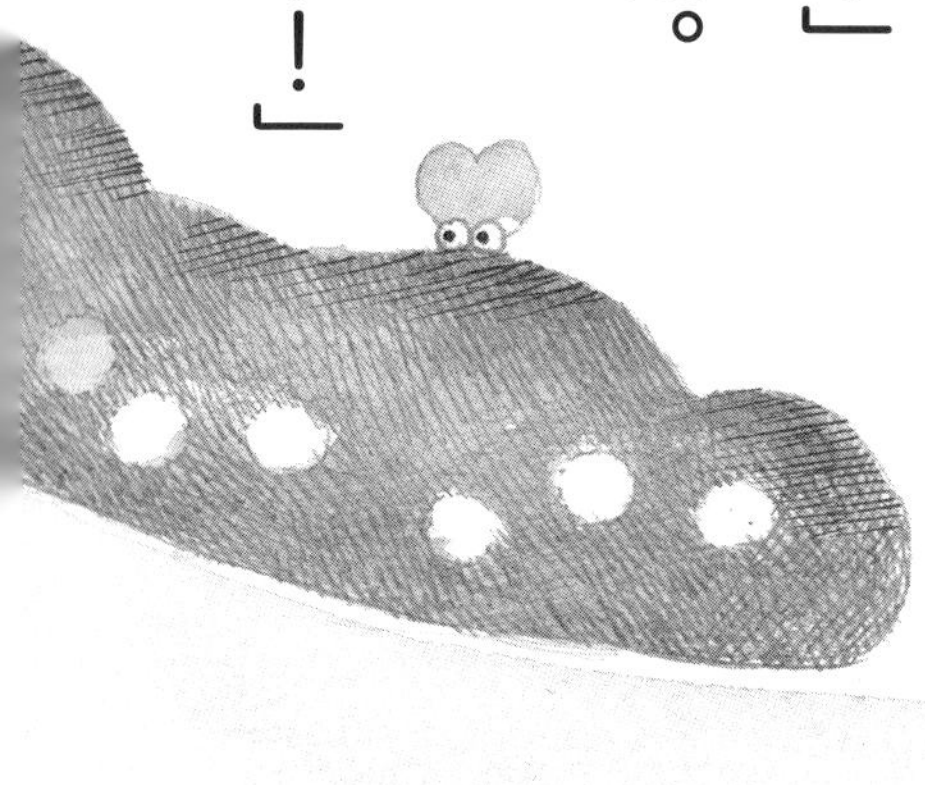

きつねも　走《はし》りだしました。

さて、そのころ、ねずみさんと、くまさんは、
かえり道《みち》を　歩《ある》いていました。
「ねえ、くまさん、メガシティみたいな
大《だい》とかいに　行《い》ってみたいと　おもったこと、
ある？」
「ないよ！　ぼくは　大《だい》とかいじゃ
生《い》きていけないからね。
　ねずみさんは、どうだい？」
「……な、ないわ……。あたし……ここが

すきだから……。
それに、ここには……なくてはならない
友《とも》だちも　いるし」
「うん、ぼくもだ！」

おわり

作家　**上野与志**（うえの よし）

東京都生まれ。

昭和47年中央大学文学部卒業。

児童図書出版社で40年、その内編集者として34年勤める。

その傍ら、子どもの本の創作をする。現在は作家専業。

主な作品に『わんぱくだんのまじょのやかた』他のわんぱくだんシリーズ（共著）『あかまるちゃんと くろまるちゃん』『とんとんとん』『くんくんくん』（以上、ひさかたチャイルド）、『おおきいおうちと ちいさいおうち』（岩崎書店）、『ドラゴン、火をはくのはやめて！』（ポプラ社）などがある。

日本児童文芸家協会会員。

画家　**藤嶋えみこ**（ふじしま えみこ）

秋田県生まれ。

京都精華大学芸術学部デザイン科卒業。

アートスクールにて、絵本と漫画の講師をつとめる。

2006年イタリアボローニャ国際絵本原画展入選。

絵本に『おおきいおうちと ちいさいおうち』（岩崎書店）、『チマのはじめてのぼうけん』（アリス館）、挿絵に「バーバー・ルーナのお客さま」シリーズ（偕成社）がある。

ねずみのパンや　おいしいはなしにご用心　NDC913

発行　2024年11月30日　第1刷発行

著　者　上野与志
画　家　藤嶋えみこ

装　丁　祝田ゆう子

発行者　小松崎敬子
発行所　株式会社岩崎書店
〒112-0014　東京都文京区関口2-3-3　7F
電話 03-6626-5080（営業）03-6626-5082（編集）

印　刷　株式会社光陽メディア
製　本　株式会社若林製本工場

　ISBN978-4-265-07468-6
Published by IWASAKI Publishing Co., Ltd. Printed in Japan.

岩崎書店ホームページ● https://www.iwasakishoten.co.jp
ご意見ご感想をお寄せください。E-mail● info@iwasakishoten.co.jp

落丁、乱丁本はおとりかえいたします。